AVI 2 - M3 - E3

# dino brult niet meer

BAKERMAT

AVI 2 - M3 - E3

# slim konijn en de wolf

BAKERMAT

AVI 2 - M3 - E3

# de kleine kip

BAKERMAT

AVI 2 - M3 - E3

# de kat is bang

BAKERMAT

# Oma
## de Mast

**Centrale Bibliotheek**
Oosterdokskade 143
1011 DL Amsterdam
0900-bibliotheek (0900-2425468)
www.oba.nl

Illustraties: Fred Blunt

Oma De Mast
liep naar de kast.

Ze wou voor haar hond
een bot.

Toen ze de deur open kreeg,
was de kast leeg.

Nu was er geen bot meer
voor Spot.

# Oma De Mast sloot de kast

en deed een warme jas aan.

We moeten snel lopen.
De slager is open.

We hebben nog net tijd
om te gaan.

Dus over de wegen,
door wind en door regen

liepen oma De Mast
en de hond.

Ze stopten pas
bij het 'vlees van Bas'.

Spot wou graag dat oma
iets vond.

vlees van Bas

Er was heel wat keuze.
Dat vond de hond reuze.

Maar oma koos toch
voor een bot.

Toen riep oma 'Nee!
Het zit me niet mee.'

'Mijn geld ligt nog thuis.
Dat is gek.'

Toen stapten ze op.
Maar Bas riep 'pas op!'.

Een dief liep voorbij
met zijn geld.

Maar met een snauw
viel hij over het touw.

Zo werd Spot de hond
plots een held.

'Je hond is een kei',
zei de slager blij.

'Ik heb iets leuks
voor hem klaar.'

Nu heeft oma De Mast
een volle kast

en haar hond heeft vers vlees
voor een jaar.

# Spelen

## Spel 1
Zoek het verschil.
Vind je er zes?

# Spel 2
## Zoek de woordjes in de prent.

hond      klok      kast

kopje      geld      venster

# Spel 3
## Kies de juiste zin.

# Zo is het goed

## Spel 1

## Spel 2

klok     kast     venster

kopje     geld     hond

## Spel 3

Ik ben nat.

Stop dief!

Oorspronkelijke titel: Old Mother Hubbard
Vertaling: Baeckens Books NV i.s.m. met gespecialiseerde logopedisten
© 2010 Usborne Publishing Ltd., 83-85 Saffron Hill, Londen EC1N 8RT, Engeland www.usborne.com
© 2012 Nederlandstalige uitgave: Baeckens Books NV, Mechelen, België/Noordwijk, Nederland.
Uitgegeven in Mechelen bij Bakermat

BAKERMAT *Lezen is leuk!*  AVI 3/E3